Título original: Do I Have to Go to School?
© Texto: Pat Thomas, 2006
© Ilustraciones: Lesley Harker, 2006
Publicado originalmente por Hodder and Stoughton Limited,
un sello de Hodder Headline Group, Gran Bretaña.

© EDITORIAL JUVENTUD, S. A., 2008
Provença, 101 - 08029 Barcelona
info@editorialjuventud.es
www.editorialjuventud.es

Traducción: Maria Lucchetti Bochaca
Primera edición, 2008
Depósito legal: B. 13.716-2008
ISBN 978-84-261-3651-0
Núm. de edición de E. J.: 11.092
Printed in Spain
S. A. de Litografía, c/ Ramón Casas, 2 (Badalona)

¿Tengo que ir a la escuela?

HABLEMOS DEL MUNDO ESCOLAR

PAT THOMAS
con ilustraciones de LESLEY HARKER

editorial juventud
Barcelona

Estás a punto
de emprender una
gran aventura.

Verás cosas nuevas, aprenderás
cosas nuevas y conocerás
a gente nueva. Y lo que
es mejor, estarás de nuevo
en casa a tiempo para
jugar antes de cenar.

El lugar donde vas a ir se llama escuela.
La escuela es donde van los niños para aprender
cosas nuevas y hacer nuevos amigos.

Todo el mundo se siente un poco intranquilo
cuando debe empezar la escuela.

Es normal que te preguntes si te gustará tu maestro
o maestra y los otros niños, y si serás capaz de aprender
lo que te enseñen y hacer nuevos amigos.

¿Y a ti?

¿Hay algo que te preocupe
sobre la escuela? ¿Qué es?

También es natural
que te preguntes por qué
hay que ir a la escuela.

Al fin y al cabo, tu familia ya te ha enseñado muchas cosas y ya tienes algunos amigos.

La escuela es donde empiezas a aprender cosas sobre el mundo fuera de tu familia...

... y cuanto más sabes sobre el mundo, más interesante resulta.

13

Los primeros días
de escuela, todo puede
parecer extraño y nuevo.

Puede que no sepas dónde están las cosas ni quiénes son los demás. Puede parecerte que hay mucho ruido y quizá no tengas ganas de participar.

Pero casi sin darte cuenta, aprenderás
los números y a contar, aprenderás
a escribir tu nombre, y sabrás
cómo crecen las plantas
y los animales.

La mayor parte de las veces, no te parecerá
que estés aprendiendo. Y es que los maestros
saben cómo hacer que aprender resulte divertido.

¿Y a ti?

¿Se te ocurren otras cosas divertidas
que podrías hacer en la escuela?

En la escuela habrá pinturas y lápices de colores,
trenes y piezas de construcción,
muñecas, coches y disfraces.

Leeréis cuentos, cantaréis canciones, bailaréis...

... y jugaréis en el recreo y comeréis todos juntos.

Puede que algunas cosas
cambien cuando empieces
la escuela. Quizá tendrás
que madrugar un poco más
para llegar puntual.

Una vez allí, mamá o
papá no se podrán quedar
a jugar contigo como
hacen en casa.

Pero todos los días,
cuando regreses a casa,
tendrás un montón
de cosas para
explicarles sobre
todo lo que
has hecho.

Puede que tengas que aprender normas nuevas, como colgar la chaqueta en un perchero especial...

... o sentarte y escuchar en silencio cuando el maestro o la maestra esté hablando o leyendo.

Pero algunas normas serán iguales que las de casa, como decir «por favor» o «gracias», compartir los juguetes y ser amable con los demás.

¿Y tú?

¿Por qué crees que en la escuela hay normas?
¿Se te ocurren otras normas que sirvan igual
en la escuela y en casa?

Cuando te alimentas das a tu cuerpo
todo lo que necesita
para crecer y
hacerse fuerte.

Cuando aprendes cosas nuevas das a tu cerebro todo
lo que necesita para crecer sano y fuerte.

Y si tu cuerpo y tu cerebro
son sanos y fuertes...

... tendrás todo lo necesario
para convertirte en la persona
especial que se supone
que vas a ser.

GUÍA PARA UTILIZAR ESTE LIBRO

Empezar la escuela es un gran cambio para todos, pero mucho más para los pequeños, ya que no poseen las herramientas de comportamiento que tienen los adultos y necesitan una atención especial en esta fase de su vida. La escuela es sólo una de las muchas situaciones nuevas que el niño deberá afrontar a lo largo de su vida. Los adultos pueden hacer que los niños se sientan más seguros, explicándoles qué van a encontrar. Tened en cuenta los siguientes puntos:

Si desde el principio habéis fomentado la curiosidad natural del niño y su interés por aprender, es poco probable que la perspectiva de la escuela le resulte un problema. Podéis ayudar al niño a interesarse por aprender y por el mundo que le rodea aprovechando las oportunidades del día a día. Señalad los colores, las formas, los animales y los números al pasear o cuando vayáis en autobús o en coche. Dadle acceso a revistas, libros, ordenadores y otras herramientas de aprendizaje. Si se le pide a menudo su opinión y se le incluye en las conversaciones familiares, la perspectiva de relacionarse con otros adultos le resultará menos difícil.

La ansiedad que los niños sienten cuando deben empezar la escuela, a menudo no tiene que ver con la escuela en sí, sino con lo desconocido. Entre esas cosas que no conocen figuran los cambios de la rutina establecida, conocer niños nuevos, separarse de la familia largo rato, relacionarse con nuevas figuras de autoridad y aprender nuevas normas. Si podéis, llevad al niño a visitar la escuela antes de empezar el curso. Conoced a la maestra o al maestro, visitad la clase donde pasará la mayor parte del día y explorad el patio. Todo ello ayudará a disminuir el miedo a lo desconocido.

Incluso si el niño no se muestra demasiado preocupado por la escuela, no hay que dar por hecho que no siente nada de ansiedad. No todos los niños se sienten capaces de expresar sus miedos. Preguntas abiertas del tipo: «¿Has pensado en lo que vas a hacer en la escuela?» pueden producir respuestas y conversaciones útiles. Estad preparados para una mezcla de emociones incluso después de que haya empezado la escuela. Sed comprensivos y mostraos dispuestos a escuchar.

Procurad asociar la escuela a cosas agradables en la mente del niño. Enfatizad todas las cosas divertidas que se hacen en la escuela. Si el niño va a coincidir con amigos, encontraos con las otras familias y sus hijos y hablad con vuestro hijo sobre las cosas buenas que encontrará en la escuela. Hablad, además, sobre lo que ha ocurrido cada día en la escuela; vuestro interés puede resultar contagioso.

No olvidéis los aspectos prácticos del inicio de la escuela. Tomaos tiempo por la mañana para no tener que correr y angustiaros. A nadie le gusta empezar el día así. También es importante que el niño desayune bien todos los días y que tenga un buen almuerzo.

LECTURAS PARA NIÑOS

Lila va al cole
Eduard Estivill,
Montserrat Domènech
(Beascoa)

El primer día de escuela
Helen Oxenbury
(Editorial Juventud)

No quiero ir al colegio
C. Cano (Tandem)

Soy demasiado pequeña
para ir al colegio
Lauren Child (RBA Serres)

Tibilí, el niño que no quería
ir a la escuela
Marie Leonard, Andrée Prigent
(Editorial Juventud)

¿Por qué tengo que ir a la escuela?
Cartas a Tobías, H. von Hentig (Gedisa)

LECTURA PARA ADULTOS

Niños que no quieren ir a la escuela.
Cómo motivarlos para relacionarse en la clase
Andrew Eisen, Linda Engler
(Oniro)